Ingrandimenti

DIO CI HA CREATO GRATIS

Il Vangelo secondo i bambini di Arzano

a cura di Marcello D'Orta

ARNOLDO MONDADORI EDITORE

A cura di
Marcello D'Orta
nella collezione Ingrandimenti

Io speriamo che me la cavo

ISBN 880434897-6

Indice

Dio ci ha creato gratis

Premessa

Sono stato sempre contrario al seguito dei film e dei libri fortunati. Nel migliore dei casi è una pallida imitazione dell'originale e comunque sa sempre un po' di calcolo interessato. Per questo ho resistito strenuamente ai consigli, alle proposte e perfino agli affettuosi ricatti morali di chi da tempo mi invitava a dare un compagno a *Io speriamo che me la cavo*. Uno stillicidio di insistenze benintenzionate che alla lunga è diventato una grandinata, non di rado molesta. Tanto che, a volte, ero tentato di cedere per farla finita.

Ma non è stato il mio scarso eroismo a farmi cambiare idea, è stato un caso fortuito e fortunato. Una mia sorella che insegna religione a Milano (noi D'Orta siamo un mezzo reggimento), durante una visita mi ha raccontato che i suoi non disciplinatissimi allievi accettavano stranamente di buon grado di svolgere temi su argomenti «sacri» e avevano sovente uscite spassosissime. «Credi,» mi ha detto convinta «sono al livello dei tuoi diavoli di Arzano.» E io, di colpo, mi sono sentito come Paolo sulla via di Damasco. E ancora più stimolato dopo aver letto qualche saggio degli scolaretti meneghini. Peccato che non si potessero utilizzare, a meno di tradurli in napoletano...

Ma la trovata, l'idea nuova c'era. E così mi sono messo in caccia. Da tempo non insegno più, ma sono ancora in ottimi rapporti coi colleghi di Arzano e dintorni e persino con qualche catechista. E ho approfittato spudoratamente dell'amicizia per assillarli senza pietà, indagando, chiedendo, sollecitando e non di rado suggerendo argomenti e filoni. Non posso dire che tutte le reazioni siano state entusiastiche, infatti da principio il materiale arrivava col contagocce. Ma poi, un po' presi dal gioco, un po' (molto) incoraggiati dai risultati, si sono messi di lena e mi hanno largamente accontentato. Ha contribuito anche mia sorella, che con molta pazienza ha spulciato il suo archivio fornendomi tutti i temi dei suoi scolaretti meridionali. Eredi più che legittimi, devo dire, dei «miei» arzanesi.

Io leggevo, valutavo, soppesavo, come sempre in cerca della merce più saporosa e genuina. Ho lavorato a lungo, senza risparmio di forbici,

4

e un po' anche di colla. Finché un bel giorno (sospiro di sollievo!) mi sono trovato fra le mani una raccolta convincente. O almeno che convinceva me. Un ritratto, stavolta da un'angolatura insolita, del ragazzino meridionale: timido e sfrontato, impunito e filosofo, col suo eloquio pittoresco, il suo umorismo a volte surreale e soprattutto la sua ancestrale accettazione del dolore, serena e quasi divertita. In più, sbrigliata dagli episodi colorati e dalle note «soprannaturali», esplode in queste pagine una fantasia che è gioco, evasione e consolazione. Ma anche lezione di vita. Che, spero, il lettore vorrà accettare.

Marcello D'Orta

L'Antico Testamento

Perché Dio ci ha creati?
(Pensieri sparsi)

È accertato che fu Dio a crearci.

Dio ci ha creati per spedirci con calma
in Paradiso.

Dio ci ha creati perché ci voleva più bene
di prima.

O Dio o un altro, qualcuno ci doveva
creare...

Dio ci ha creato gratis.

Dio ha creato pure i negri, solo che loro
non lo sanno.

Se Dio ci ha creati sono cazzi suoi.

Dio ha fatto bene a crearci, solo che ha
esagerato un po'.

Al Pronto Soccorso uno non ci credeva
che Dio ci ha creati.

Dio prima creò l'uomo e poi lo addomesticò.

Dio ci creò antichissimi.

Dio ci ha creati con molta cautela.

Se ci ha creati Dio perché a mio fratello
l'hanno messo in colleggio?

Dio ci ha creati per farci circolare.

Ma se Dio sapeva che la maggior parte
andava all'Inferno, perché ci ha creati?

Quando voi avete spiegato perché Dio
ci ha creati, io ero assente.

Racconta la creazione del mondo - 1

Dio creò il creato in sette giorni, come la settimana. Per prima cosa fece i pesci, poi creò il cielo, la terra, gli animali volanti, il mare, le razze bestiali, le stelle e l'uomo a sua immagine e somiglianza. Il primo uomo preistorico lo chiamò Adamo, e gli domandava se era felice che lo aveva messo nel Paradiso Terrestre, e se gli mancava niente. Adamo disse no no, sto benissimo, felice come sono. Ma Dio gli creò la donna.

La donna si chiamava Eva, perché aveva i capelli lunghissimi. Dio gridò: «Potete assaggiare tutti i frutti degli alberi, pere, uva, ciliegie, melloni, ma solo la mela no, che se mangiate la mela avrete il peccato originale».

Un giorno Eva fu tentata dal serpente che gli diceva: diventerai più grande di Gesù se mangi quella mela. Così Eva la mangia e quando torna

Adamo ne offre un pezzetto pure a lui. Come Dio vide questo si infuriò e gridò: «Tu Eva partorirai con dolore i tuoi figli Caino e Abele, e d'ora in poi tutti conoscerete il sudore».

E infatti Eva partorì sudando.

Racconta la creazione del mondo - 2

Adamo, mentre la sua costola dormiva, creò a Eva.

Adamo e Deva vivevano sempre nel Paradiso terresto anche nei giorni feriali. Erano molto felici e ridevano sempre, come Al Bano e Romina Pauer.

Adamo e Deva disobbedirono all'ordine di Dio di non mangiare una mela, e per questo Dio li cacciò dal Paradiso. E disse: «Per prima cosa vi scaccio a tutte due, per seconda morirete. In quanto a Eva tu farai due figli gemelli ma molto diversi nel carattere».

Abele era un ragazzo molto socievole, molto odierno; Caino no, era un ciuccio e un fetente. A questi figli, come nacquero, Eva ci disse: «Adesso dovete lavorare subito la terra con grande dolore perché avete addosso pure voi un po' di peccato originale».

Abele pascolava con le pecore. Caino praticava l'agricoltore. Ma Dio gradiva più i regali di Abele e i due fratelli si appiccicavano[1] sempre come matti.

Un giorno Caino prese un bastone e lo picchiò esageratamente sulla testa di Abele, e Abele morì.

Questo è il primo omicidio del Terzo mondo, in seguito ne vennero moltissimi altri.

Litigavano

Racconta la creazione del mondo - 3

Dio produsse prima il cielo il sole le nuvole le stelle la terra il mare gli animali e poi inventò all'intrasatto[1] l'uomo. E disse all'uomo ti chiamo Adamo, e la tua costola la chiamo Eva. Siete mariti e mogli.

Adamo ed Eva erano una bellissima coppia, ma furono sfortunati con i figli. Due che ne fecero, uno fu un assassino e un altro morto.

Essi si chiamavano Caino e Abele. Caino e Abele erano due bambini buoni, ma con il passare degli anni non si riconoscevano più. Facevano la sfida a chi era più simpatico a Dio, e vinceva sempre Abele. Allora Caino che era mmeriuso[2] di Abele lo ammazzò e andò a nascondersi dentro una grotta del Paradiso Terrestro. Ma Dio, che lo vedeva benissimo, lo chiamò e gli fece fare una figura davanti a tutti.

[1] Improvvisamente. – [2] Invidioso.

Racconta la creazione del mondo - 4

Eva, per dispetto che Gesù l'aveva cacciata dal Paradiso Terrestre, fece un figlio assassino e lo chiamò Caino.

Racconta un episodio biblico che ti ha particolarmente colpito

Prima di essere ucciso da Caino, Abele costruì una torre grandissima perché voleva sfidare il cielo, toccandolo con la punta della torre e non si accorgeva che il cielo non si può toccare mai.

La costruiva un piano sopra un altro, come i bicchieri di plastica dove un cerchietto va dentro un altro cerchietto. La torre saliva saliva e non finiva mai e allora Dio, per punire Abele che aveva voluto gareggiarlo, creò l'Europa, confondendo tutte le lingue. A chi parlava il tedesco fece parlare spagnolo, a chi parlava spagnolo il francese, e a chi chi.

Infine la torre andò in pezzi e tutti i mattoni cadevano a terra. Io, visto che a Napoli c'è solo bordello[1] e confusione, faccio questa preghiera a Dio: «Padre nostro che sei nei cieli sii buono: non confondere pure il nostro dialetto».

[1] Confusione, caos.

Racconta la storia di Noè

Al tempo di Noè gli uomini vivevano seicento, settecento e anche ottocentoventi anni. Certi nonni arrivavano pure a mille anni.

Però, siccome vivevano molto più di noi, commettevano anche molti più peccati, e la terra di allora stava anche più peggio di quella di ora.

Così un giorno Dio si stufò e pensò di castigare uomini e bestie. Andò da Noè e gli disse in faccia: «Noè tu sei l'unico galantuomo della Terra, gli altri sono inservibili e io li devo punire per forza. Costruisci un'arca e facci entrare tutte le bestie che frequenti, nel frattempo io comincio a mandar giù il primo livello di diluvio. Al secondo livello manda fuori una colomba per vedere come va: se torna asciutta vuol dire che potete uscire, se torna bagnata è ancora presto».

Noè non aveva mai costruito un'arca e non poteva neanche domandare in giro, perché se scoprivano il suo segreto ognuno si costruiva un'arca per i fatti suoi e il diluvio non serviva più a niente.

Alla fine però ci riuscì, la costruì a forma di cappello da muratore e ci fece entrare tutti gli animali buoni. Quando il diluvio si asciugò, Noè aprì il portone e andò a fondare una nuova città.

Parla del profeta Giona

Verso la fine dell'Antico Testamento Dio si affacciò dal cielo e disse a un uomo che si chiamava Giona: «Giona devi andare subito a far pentire Ninive. Questa Ninive si comporta talequale a Sodoma e Gomorra, fa solo un po' di porcherie in meno. Dici a Ninive che se non vuol fare la stessa fine deve giurare che si pente».

Giona rispose: «Va bene, ci vado subito», poi invece appena Dio voltò le spalle, prese un'altra strada, andò diritto al porto di Cartagine, e si imbarcò per molto lontano.

Lui si credeva come Caino che Dio non lo vedeva, ma Dio vede tutto, anche quello che non c'è. Per esempio, prima ancora di creare la Terra Dio già sapeva che io stavo facendo un tema su Giona e sape pure che voto avrò.

Vedendo Giona che disubbidiva Dio si arrabbiò e per punirlo della sua furberia scatenò una tempesta fortissima. La nave ballava in mezzo all'Oceano e i marinai spaventati capirono che la colpa era tutta di Giona e lo buttarono a mare.

Giona come cadde in acqua subito si pentì, ma in quel momento arrivò una balena grandissima che se lo inghiottì come a Pinocchio. Nella pancia della balena Giona non sapeva che fare, pregò tre notte tre giorni e infine Dio avette pietà di lui e la balena lo sputò fuori.

Il giorno dopo Giona si lavò la faccia e le mani e andò a far pentire a Ninive.

Oggi vorrei parlare di Davide e Golia

Davide era un ragazzo buono, ubbidiente, di statura normale, Golia era un gigante cattivo e scostumato, grande come Polifemo, però con due occhi e due sopraccigli.

Golia schiacciava i buoni come formiche, nessuno ce la faceva con lui, forse neanche Rambo.

Buttava cavici[1] e mazzate, e se ti dava un pizzico ti sfracellava. Se faceva uno starnuto volavano via tutti i filisdei. Era il nemico numero uno di Israele. Nessuno a quel tempo lo poteva uccidere perché non c'erano pistole, fucile e raggi laser. Se c'erano i cavalieri dello Zodiaco[2] allora sì che gli facevano vedere!

Finalmente gli ebrei si stufarono e chiamarono Davide, che aveva una mira da non credere e Davide prese quattro o cinque pietre aguzze, se

[1] Menava calci.
[2] Noti eroi di fumetti.

le mise nel sacco e partì. Quando incontrò Golia non si salutarono neanche tanto che si odiavano, e Golia quando sentì che Davide lo sfidava si fece una risata e gli promise che l'avrebbe scamazzato.[3]

Davide non gli diede confidenza: mise una pietra nella fionda, la fece girare come un mulinello e la lanciò. La pietra colpì giusto in fronte a Golia, gliela spaccò come un mellone rosso.

Quando cadde a terra, Davide gli tagliò la testa con la spada e si fece fare un quadro con la testa tagliata in mano.

[3] Schiacciato.

Parla del sacrificio di Isacco

C'era una volta un uomo molto vecchio, Abramo, che aveva un ragazzino Isacco e in mezzo ci stava Dio.

Un giorno Dio disse: «Abramo, prendi a tuo figlio, portalo sul monte legalo stretto e uccidilo. Se mi vuoi bene, farai questo per me».

Abramo non lo voleva uccidere il figlio, ma doveva.

Mentre camminavano Isacco non lo sapeva che l'ucciso era lui, e quando giunsero sul monte e Abramo preparò un fuoco lui gli domandò dove stava l'agnello o il capretto da arrostire. E Abramo disse: «Veramente sei tu».

Poi legò Isacco sulla legna e alzò il coltello. In quel momento apparve un angelo che fermò la mano di Abramo. Gli disse: «Abbiamo visto che non sei caduto nella disubbidienza, bravo!

Basta così: per oggi non ucciderai più tuo figlio».

E Abramo e Isacco se ne tornarono al paese.

Ma questa storia è così strana che mi sembra inventata.

Perché furono distrutte Sodoma e Gomorra?

Sodoma e Gomorra erano due città vicinissime dell'Antico Testamento famose nel mondo per le loro schifezze e facevano la sfida a chi inventava più disgusti.

A Sodoma e Gomorra facevano i figli uomini con uomini, donne con donne, e le suore le violentavano facendo il tocco.[1] Erano le città dell'aidiess e della droga, i vecchi buttavano la mano morta e tutti facevano i rutti in chiesa.

Uno solo era bravo e buono, un certo Lot. Egli non aveva quasi sesso ed era molto per bene. Un giorno incontrò due Spiriti Buoni che gli dissero: «Lot, salvati!».

Allora lui prese la famiglia e se ne scappò da Sodoma e Gomorra. E proprio in quel momento Dio mandò una pioggia di fuoco sulle due

[1] Tirando a sorte.

città, così tutti i ricchioni morirono, tutte le zoccole si ustionarono e il terremoto fece cadere il bordello sulla testa ai malvagi.

Lot e la sua famiglia si salvarono, ma quella mezza scema della moglie di Lot per vedere come finiva si girò e fu trasformata in una statua di sale doppio o fino.

Questo racconto insegna che nemmeno il diluvio universale è servito a qualcosa.

Cos'è per te il giudizio di Salomone?

Il giudizio di Salomone io lo conosco benissimo ed è un giudizio molto astuto. C'era una volta due donne antiche con un figlio solo. La donna numero uno diceva che quel figlio era suo, che era talequale a lei, gli occhi, il naso, la bocca ecc. La donna numero due diceva che il figlio l'aveva fatto lei una notte con la sua propria pancia ed era proprio sicura.

Allora, siccome il bambino era piccolissimo e non si ricordava chi lo aveva fatto, andarono da Re Salomone.

Salomone domandò: «Questo figlio chi lo vuole?». E le due madri prendevano una un braccio, una una gamba e tiravano strillando: «Io! Io!». E il bambino piangeva dagli strappi. Allora il Re si mise in mezzo e con una spada fece finta di tagliarlo a metà e disse: «Una fetta la do a questa mamma qua e un'altra fetta a quest'altra mamma là». Ma mica lo voleva tagliare veramente. E che era un Pandoro?

La mamma vera allora gridò: «No! No! Non mi spaccare il figlio! Ce lo regalo a quest'altra donna, basta che rimane intero!».

Allora il Re vedendo che una piangeva e l'altra se ne fotteva capì di chi era veramente il figlio e glielo dette, e la matrigna andò in prigione oppure si impiccò.

Giobbe è esempio di pazienza e rassegnazione alla volontà divina

Per il povero Giobbe la sua vita fu tutto un diciassette. Egli era ricco, aveva mogli e asini, figli e cammelli, buoi e pecore. Non gli mancava niente. Era anche buono, generoso e ubbidiente: se gli moriva una moglie o un asino, diceva «non fa niente».

Dio allora lo mise alla prova. Gli fece morire prima tutti i fratelli, tutti i cognati e tutti i nipoti, poi tutte le mogli e tutti i figli.

Egli rimase solo con le sue bestie, aveva settemila pecore, quattromila buoi e trentamila cammelli: mancavano solo figli e mogli.

Il giorno dopo Dio fece morire in un sol colpo tutti gli animali e Giobbe rimase solo come un cane. Ma Dio, non contento, gli scaricò addosso tutte le malattie di questo mondo: peste, colera, lebbra, rogna, emorroidi. Forse pisciava pure nel pappagallo.

Con tutto questo non si lamentava mai nemmeno per scherzo. Dio allora, vedendo che aveva superato la prova, gli fece resuscitare tutti i figli, i fratelli, le mogli, gli zii e perfino i cammelli.

E a lui tolse tutte le malattie e lo fece campare per altri cento anni.

Parla di un personaggio dell'Antico Testamento

A me il personaggio che mi sta più simpatico è Sansone. Sansone lo trovi pure nella reggia di Caserta. Appena entri, fai cinque o sei metri e a sinistra là c'è Sansone.

Egli era fortissimo, l'ho visto pure nel film. Tutta la sua forza stava nei capelli, che erano come quelli di Gullit ma più lunghi, e gliel'aveva regalata Dio. Appena nato, tanto per dire, già aveva affogato due serpenti. A un leone che se lo voleva mangiare aveva sguarrato[1] la bocca.

Con una mascella d'asino che faceva ruotare come un pazzo fece una strage di Filistei e nessuno lo poteva fermare tanto che era nervoso. Ma a Settembre una donna cattiva, Dalila, scoprì il suo segreto, gli tagliò i capelli di notte e lui diventò moscio come Schifiltor.[2] Allora lei lo

[1] Divaricato, spalancato.
[2] Schifiltor: si tratta di un gioco per bambini. Sono figure di mostri in materia molliccia e appiccicosa.

ingarbugliò in una fune e lo portò davanti al Re. Il Re lo accecò e lo buttò in prigione.

Si credeva che per Sansone era la fine, ma quando mai! Mentre stava carcerato gli crescettero di nuovo i capelli e gli tornò la forza. Allora si scocciò di fare il prigioniero, salì le scale a quattro a quattro, si appoggiò a due colonne e tanto le spinse che il tempio cadde e Gerusalemme pure. Per sfortuna morì pure lui, Sansone, ma perlomeno s'era tolta la soddisfazione.

Qual è il personaggio biblico che ti ha più colpito?

Mosè nacque in un cestino di paglia ebreo e a causa della sua razza fu abbandonato sul fiume Nilo.

La figlia del Faraone, mentre giocava a palla con le sue amiche, fu la prima a scoprire Mosè che scorreva sull'acqua, lo pescò e se lo conservò. Egli crebbe a corte ma anche se si credeva figlio del Faraone era un bravo ragazzo e non si sparava le pose.[1] Quando un giorno si scoprì che era ebreo, il vero figlio del Faraone gridò: «L'avevo detto io!», e lo spedì nel deserto.

Nel deserto Mosè soffrì la fame e la sete, ma più la sete a causa dei pori perché c'era un sole fortissimo, mille volte più di Licola.[2] Ma

[1] Non si dava arie.
[2] Nota località balneare campana.

Dio ebbe pietà e lo aiutò a evadere dal deserto, e cento metri dopo la fine del deserto Mosè si sposò.

Quando tornò in Egitto aveva una barba esagerata e il vero figlio del Faraone come lo vide gli disse incazzato: «Stai ancora qua? E io ti rimando nel deserto!».

Ma Mosè non lo ascoltava e lo punì con le sette Piaghe d'Egitto.

Solo quando il suo figlio piccolo morì per l'ultima Piaga il Faraone lasciò liberi gli ebrei. Essi fecero una grande festa di liberazione, ma quando si trovarono davanti al mare diventarono molto tristi.

Allora Mosè alzò il bastone e il mare si divise in due parti: ma non una per gli ebrei e una per gli egiziani, tutt'e due per Mosè. E così passarono.

Verso la fine del viaggio Mosè subisce i Dieci Comandamenti e la sua barba diventa ancora più lunga e indispensabile.

Spiega il significato dei dieci comandamenti

I dieci comandamenti li ebbe Mosè per gli uomini, per non fargli commettere più peccati. Prima dei dieci comandamenti non cene era neanche uno e non si sapeva a chi dare ragione. Ognuno faceva a testa sua e c'era molta confusione in giro.

Ma venne Mosè e fu Dio a darglieli con il fulmine sopra la pietra e una voce doppia.

Nove comandamenti li dava ai grandi, uno lo fece apposta per i bambini, ed è *onora il padre e la madre*.

A me il comandamento numero 6 mi fa ridere.

Un episodio biblico che ti ha particolarmente colpito

Il faraone d'Egitto era un gran fetente e ha fatto bene Mosè a distribuirgli tutte quelle piaghe. Se oggi c'era un altro Mosè in giro, gli dava le piaghe d'Egitto pure a Saddamussen e lui la finiva di fare sempre la guerra nel petrolio.

Io tutte le piaghe non me le ricordo ma il necessario sì. C'era la piaga del sangue nell'acqua, quella delle cavallette, delle zanzare, dei ranocchi, della lebbre, e la piaga della notte e del buio. Ma la piaga che preferisco è la morte del figlio del faraone. Perché Dio così ha voluto salvare il bambino che se no da grande credeva negli idoli e andava all'inferno, e insieme ha punito il suo papà troppo cattivo.

E questa storia dura più di tre ore.

Il Nuovo Testamento

Racconta la nascita di Gesù

Gesù bambino nacque in una grotta di Betlemme e non in una casa o in una clinica perché nessun albergatore di Palestina gli aveva voluto affittare una camera per nascere.

Se sapevano che lui era Gesù, gliela dava la Reggia Palas Hotel[1] in persona.

Gesù bambino nacque alla vigilia di Natale, a mezzanotte in punto, sua madre era la madonnina, il padre san Giuseppe. San Giuseppe faceva il falegname, come mio padre, noi diciamo masterascio. Appena nacque Gesù bambino si sparse dappertutto la notizia e vennero i pastori le lavandaie e i toreri ad adorarlo.

Tutto il mondo andò da Gesù bambino, solo Benino[2] no, perché voleva fare il moderno.

[1] Reggia Palace Hotel, un famoso albergo di Caserta.
[2] Classica figura del presepe napoletano. È sempre raffigurato nell'atto di dormire, e rappresenta l'indifferenza al Grande Evento.

Andarono anche i re magi che inseguivano la cometa sopra a tre cammelli con le gobbe.

Gesù rimase sempre buono come quando era nato, non peggiorò mai.

Io vorrei che Gesù non moriva mai. Se c'ero io a Ponzio Pilato gli facevo una mossa di karaté.

Vi racconto un episodio del Vangelo...

All'inizio i dodici apostoli non erano proprio nessuno. Chi li conosceva? Erano per la maggior parte pescatori e fruttivendoli. Un giorno Gesù, vedendo san Pietro nervoso perché non aveva preso neanche un'alice, gli disse: «Ritorna in mare e ti abbufferò di pesci, basta che ti fai apostolo». San Pietro così fece, ritornò con due o tre quintali di pesce e da quel momento seguì a Gesù. Proprio adesso che poteva fare affari d'oro si mise a seguire Gesù e per questo fu nominato santo.

I dodici apostoli all'inizio nessuno sapeva parlare bene, facevano tutti gli errori di ottografia. Quando accompagnavano Gesù a fare qualche miracolo gli facevano fare sempre brutte figure di prestigio.

Loro non avevano colpa di questo perché a quel tempo le scuole erano riservate ai nobili e ai romani. Allora ci pensò lo Spirito Santo ad aiutarli.

E scese. Scendeva lento lento, come nella moviola e si metteva sulla testa dei dodici apostoli, anzi undici, perché nel frattempo Giuda si era impiccato. E improvvisamente loro incominciarono a parlare tutte le lingue del mondo, francese, spagnolo, polacco, americano. Per esempio «arrivederci» si dice *OREVUAR* in francese, *AUFFIDELSEN* in tedesco, *GUD-BAI* in americano. Ed erano molto contenti. Eccetto a San Pietro che dopo che ebbe tradito a Gesù finì con la testa sotto terra e i piedi in cielo.

Commenta la frase di Gesù: «Chi non sarà come i bambini non entrerà nel Regno dei Cieli»

Io penso che quando Gesù ha detto questa frase non parlava dei bambini di otto-nove anni, ma di quelli piccoli piccoli. Infatti a quel tempo i bambini sono buoni ma proprio buoni mentre noi siamo più sfaccimmi.[1]

Io credo che è per colpa della scuola. Scusate se lo dico, ma per me è proprio così. Per esempio, a casa mia non litico mai con Giuseppe ma come vengo a scuola siamo come cani e gatti. E allora?

I bambini piccoli non rubano, non dicono le parolacce e le bestemmie, non uccidono e non fanno venire le guerre. Se il mondo sarebbe tutto di bambini piccoli sarebbe un mondo bellissi-

[1] «Sfaccimma» è «uomo da nulla», ma nel linguaggio comune vale anche «uomo molto sveglio» (scetato), insomma un «dritto», ed è in questa accezione che è usato evidentemente dall'alunno.

mo, come quando c'era Adamo ed Eva prima della mela.

I grandi invece sono il vero malanno di questo pianeta, a cominciare dai quindici anni. Essi fanno tutti i disastri che possono: uccidono, inquinano, imbrogliano, in Medio Oriente alle sei del mattino cominciano ad ammazzarsi.

Io non vorrei diventare grande, ma ho paura che dovrò.

Commenta la frase di Gesù: «Amate i vostri nemici»

Questa frase significa che ci dobbiamo volerci bene tutti quanti, e non come i cani e i gatti.

Come nella parabola del buon samaritano che vede a terra un nemico e lo veste e lo agliuta.

Quel nemico era come un amico per il suo nemico.

A Piscinola non sanno neanche dove sta di casa il buon samaritano, soprattutto nella sala bigliardo fuori a casa mia, che se una palla sta più vicino al pallino, uno dice subito che è la palla sua e non quella dell'altro, e lo chiama ommemmerda.

Io un nemico ce l'ho, è mia sorella, ma qui non posso dire perché.

Io vorrei pure diventarmela amica ma proprio non ce la faccio!

Commenta la frase di Gesù: «Non di solo pane vivrà l'uomo»

Questa frase di Gesù significa che non dobbiamo pensare solo ai cazzi nostri ma dobbiamo aiutare anche gli altri.

Però tante volte uno viene dalla fatica, si mette a mangiare, guarda la televisione, poi se ne va a dormire e se ne fotte di tutti. Se la signora affianco bussa che vuole un poco di aglio, un limone, una novalgina, la moglie dice che non ce l'ha oppure fa finta di non sentire la porta.

Ci dobbiamo aiutare uno con l'altro come se fossimo fratelli, non c'entra che uno è dottore e uno è ambulante. Mio padre è ambulante, e allora? Non aiuta pure gli altri? Un negro fece l'autostop al lago Patria e mio padre lo prese su con tutto che non aveva voglia.

Se era De Mita o Agnelli lo buttavano sotto.

Commenta la frase di Gesù:
«Perché osservi la paglia nell'occhio di tuo
fratello e non la trave che è nell'occhio tuo?»

Una volta quando ero piccola stavo nella macchina di una mia zia lasca[1] che lavorava alla Standa e passando davanti alla strada delle Quattro Vie vediamo dei fuochi e la zia mi dice: «Quelle sai chi sono? Le puttane».

Quando io tornai a casa e glielo dissi, mamma si mise ad alluccare[2] che quasi saliva sopra tutto il palazzo.[3]

Alla mattina mi vestì e scendiamo alla Standa. E qui per poco mamma non fece un cuoppo[4] di mia zia che me l'aveva detto. Io avevo vergogna davanti a tutta la gente che mi guardava, in più che non ero andata neanche a scuola.

---

[1] Di secondo grado.
[2] Strepitare, urlare come una pazza.
[3] Per poco non accorrevano tutti gli inquilini.
[4] Per poco non fece un «coppetto» (un cartoccio) di mia zia.

Dopo fecero la pace e il giorno della prima comunione la zia mi fece pure il regalo.

Adesso questa mia zia lasca ha divorziato con il marito e se ne è preso un altro già sposato e stanno in mano all'avvocato per quei poveri criaturi dei figli che non sanno che fine fanno.

Se lo sapevo com'era, la mia zia lasca, quando mi diceva quella frase da piccolina, le rispondevo: «Invece di pensare a quelle zoccole là pensa a te stessa che neanche tu scherzi!».

Racconta la parabola di Gesù che più ti ha colpito - 1

Un giorno un figliol prologo disse al padre: mi sono scocciato di stare sempre in famiglia, voglio la mia parte di eredità per andare per i fatti miei. E il padre cela dava. Passavano i giorni e il figliol faceva la bella vita, al bar al cinema alla villeggiatura con i bei vestiti, insomma finiscono i soldi e per campare trova fatica a guardare i porci.

Gridava sempre «al lupo! al lupo!» ma non era vero, era perché non sapeva che fare. Quelli del paese ogni volta ci cadevano ma un giorno che veniva veramente il lupo, si mangiò tutte le pecorelle e per lui nessuno salì sulla montagna perche nessuno ci credeva più.

Allora scese lui e chiese perdono al padre. Gli diceva: mi devono uccidere se me ne vado un'altra volta!

E il padre lo perdonò, lo abbracciò e lo fece sedere nel soggiorno.

Quell'altro frato ci rimase male, diceva che era una bella ingiustizia e se lo poteva cacciare di casa lo cacciava. Era come Caino e Abele. Ma per fortuna non lo uccise, solo lo odiò.

Racconta la parabola di Gesù che più ti ha colpito - 2

Secondo me la parabola più importante è il Ricco Pulone che si abboffava come un porco e non dava neanche una mullechella[1] agli altri perché significa tutto il male che si fa sulla terra.

Prendiamo per dire gli Stati Uniti o Usa e il Giappone, dall'altra parte ci mettiamo il Terzo Mondo, l'India e i marocchini della ferrovia. Questi popoli sono più disperati ogni giorno che passa, non mangiano non bevono non hanno un ospedale attrezzato per la lebbra: guardano i leoni e basta. Nel frattempo in America si balla e si festeggia, e il Giappone costruisce tutto lui tanto che è ricco. A Arzano ogni casa figuriamoci se non ha una cosa giapponese, pure l'orologio al quarzo!

Ma che fanno per questi popoli disgraziati

[1] Briciola.

gli Stati Uniti e il Giappone? Io se sarei l'Africa o l'India con tutti i soldi dei poveri messi insieme costruirei un missile gigante e lo butterei sulla testa dell'America del Nord e del Giappone, per fargli vedere il male che ci ha fatto!

Se Arzano si vendica della sua miseria fa un occhio nero a Andreotti.

Racconta la parabola di Gesù che più ti ha colpito - 3

La parabola che mi è piaciuta di piu è stata quella della rana e del bue. Gesù ci ha imparato che c'era una volta una rana molto vanitosa ma proprio vanitosissima che abitava in uno stagno. Un giorno come spuntò il giorno arrivò un bue. Tutte le altre rane se ne scapparono nell'acqua per la fifa, solo lei no. Stavano sottacqua tremando e tutte dicevano: «Mamma mia come è grosso quel bue, come è grosso! Noi non potremo mai diventare come lui!».

Ma la rana vanitosa disse io invece sì. E si gonfiava si gonfiava si gonfiava fino a che scoppiò. Con questa parabola Gesù ci ha spiegato che chi troppo vuole scoppia.

Parla di un miracolo di Gesù - 1

Per me il miracolo più grande Gesù l'ha fatto quando si è risorto da solo senza l'aiuto di nessuno.

Parla di un miracolo di Gesù - 2

Gesù ha fatto molti miracoli, il cecato, il lebbro-
so, il paranitico, la tempesta sedata, la cammi-
nata sulle acque, eccetera. Ma un miracolo non
l'ha fatto: non ha salvato mio fratello dalla droga.

Ma per favore non leggete questo tema in
classe.

Parla di un miracolo di Gesù - 3

Un giorno la Madonna, Gesù in persona e San Gaetano vennero invitati alla festa di due sposi nella città di Canna e si vestirono bene per far bella figura. Forse Gesù si era lavato le mani a casa con un miracolo. Quindi si sedettero intorno alla tavola.

All'inizio tutto bene, OK. Si mangiava come signori, perché era una festa di sposi. Se c'era il ricco epulone si mangiava tutto lui, pure la parte di Gesù. Mio zio quando si è sposato a Capemonte[1] ha fatto pure lui la festa, fuori la terrazza, con i cantanti e tutto. Una specie di nozze di Canna ma molto più bella.

A un certo punto finì il vino. E siccome l'unico che faceva miracoli era Gesù tutti quanti gli

[1] Capodimonte.

dicevano: «Pensaci tu». Gesù per far vedere chi era subito trasformò l'acqua in vino o rosso o bianco e tutti si fecero la croce dalla meraviglia. E si mangiò ancora più tanto di prima.

Racconta un episodio del Vangelo

Un giorno molto lontano dal tempo, mentre Gesù camminava nel deserto, incontrò un indemoniato, cioè un arabo pieno di diavoli.

Quando i diavoli, attraverso la pancia dell'indemoniato, videro a Gesù cominciarono a schiamazzare, a offendere i passanti e a tirare le secce[1] a Gesù. Gesù, se voleva, di secce ce ne tirava il doppio!

Forse cento diavoli stavano nella pancia di quell'arabo e gli facevano venire la schiuma alla bocca come i cavalli, gli facevano cacciare gli occhi fuori come Schillaci, e ognuno aveva il suo nome di battesimo. Ma Gesù ebbe pietà di lui e gridò: «Uscite subito fuori da quella

---

[1] Lanciare maledizioni, fare il malocchio.

pancia, diavoli che siete! Andate più in là, da quei porci che vedete nel prato!».

E i diavoli uscirono in fretta e saltarono dentro i porci. E ogni porco ebbe un diavolo e forse anche due. Ma presto non ce la fecero più a sopportarli, indisciplinati com'erano, e per la disperazione si buttarono tutti di sotto.

Ora io vorrei sapere: quando i porci morirono fracassati per il volo, morirono anche i diavoli? E se dopo qualcuno si mangiò quei porci, si mangiò anche i diavoli?

Un personaggio del Vangelo del quale vuoi parlare

Il personaggio del Vangelo che voglio raccontare è il centurone.

Il centurone mi fa una pena al cuore perché non sapeva proprio cosa fare.

Egli aveva il figlio moribondo, e tutti gli dicevano vai da Gesù e vedi che lui te lo salva, basta che non vai sparato.[1]

Il centurone li accontenta, incontrò il Messia e a bocca chiusa gli dice: «Ti prego Salvatore, salvami a mio figlio, non pensare che sono romano».

Il Messia lo accontentò.

Quanto il centurone tornò a casa e vide che si era salvato, si mise a ridere dalla felicità.

Però, il giorno dopo sempre un centurone era, un nemico del popolo di Gesù che poteva

[1] Basta che non ti mostri troppo baldanzoso.

anche essere comandato di uccidere duecento o trecento di quella razza.

Il centurone sapeva che doveva ubbidire contro il popolo di Gesù ma da un altro lato era troppo riconoscente al Salvatore per il salvataggio.

E a questo punto io non so come non uscì pazzo.

Giuda e Pietro tradirono entrambi Gesù;
ma quanta differenza tra i due...

Una notte ho sognato a Giuda dopo che avevo visto il film sulla tunica.

Lui stava sopra una nave che andava in Sardegna e c'ero anch'io: non mi ha fatto niente perché dormiva, ma io avevo fifa lo stesso.

Giuda per me fu l'uomo più cattivo della terra a tradire Gesù. Lo fece per trenta denari, poi si pentì e li gettò via e si uccise ma troppo tardi. Chi sa quei soldi chi se li è presi. Se si impiccava a Napoli non rimanevano a terra neanche cinque minuti.

San Pietro quando il gallo cantò tre volte e gli diede il segnale che poteva tradire a Gesù così fece, ma non per soldi, per paura dei Romani e della croce. Però poi si pentì e affrontò la morte capovolto.

Parla di Ponzio Pilato

Il mio pensiero su questo personaggio non è un pensiero semplice ma forse neppure lui ci capiva qualcosa. Perché Ponzio Pilato da una parte era un Romano, e dall'altra era un essere umano.

Giuda tradì a Gesù per trenta denari, Pilato invece gratis. Ma forse quei trenta denari li avrebbe cacciati di tasca sua per salvarlo. Me ne sono accorto quando ho letto sul libro di religione che fece di tutto per non condannarlo a morte. Probabilmente se poteva, l'acqua per le mani la gettava in faccia alla folla e se ne scappava.

Alla fine lo condannò, non perché aveva paura (i Romani non avevano paura di nessuno, solo degli elefanti) ma perché aveva mandato Gesù troppe volte avanti e indietro e poi perché se non lo condannava gli Ebrei portavano spia a Ottaviano.

Così successe quel che successe e oggi Ottaviano è una città e ci sta la casa di Raffaele Cutolo.

Barabba, un ladro e un assassino, fu graziato al posto di Gesù...

Barabba fu un ladro e un assassino per modo di dire, egli rubò solo pochi spiccioli agli ebrei, in quanto la maggior parte del capitale se l'erano già presa i Romani e Ponzio Pilato.

Barabba poi, uccidendo i soldati romani, aveva fatto un favore agli Ebrei, in quanto aveva tolti di mezzo parecchie dozzine di tiranni più ladri di lui.

Gli Ebrei, perciò, il dieci per cento odiavano Barabba perché li rubava, e il novanta per cento lo adoravano perché gli faceva fuori i Romani: per questo lo liberarono!

Se Barabba sarebbe stato un cammorrista, uno spacciatore o un maniaco sensuale, essi da sotto il palco di Ponzio Pilato gli avrebbero tirato le scorze di mellone, le uova fracite, le palle di riso, e avrebbero liberato a Gesù. Invece speravano che liberando Barabba, lui come scendeva dal palco strangolava subito un paio di Romani.

Invece Barabba scese i gradini e si allontanò senza neanche dire grazie.

E così impararono a liberarlo.

Qual è il tuo pensiero sull'episodio del buon ladrone?

Una volta in Francia come pena di morte c'era la ghigliottina, poi, quando fu scoperta l'America, si inventò la sedia elettrica. Se un condannato a morte andava alla ghigliottina insieme a Gesù sicuramente gli diceva: «Gesù fai arrugginire la lama così non scende»; se andava sulla sedia elettrica gli diceva: «Gesù fai mancare la corrente». Nessuno l'avrebbe beffeggiato a Gesù. Invece il ladro con i baffi alla sua destra lo sfotteva e gli diceva: «Che figlio di Dio sei se non sei capace neanche di scendere da una croce?».

A ovest di Gesù c'era un altro ladrone, ma senza baffi, che da vivo di mestiere faceva il malfattore, però da morto si era pentito. Adesso lo avevano legato mani e piedi sulla croce, e per terra già ci stava il suo teschio che l'aspettava.

Egli come sentì le parole del primo ladrone gli fece una cazziata[1] e gli disse che era un incontentabile e invece di ringraziare a Dio perché non teneva neanche una corona di spine faceva il pignolo su chi scendeva e non scendeva.

«Caro Gesù,» gli disse «a me hanno fatto bene a condannarmi a morte, perché io ero un ladrone disonesto e forse me la facevo pure con Barabba! Ma tu sei innocente e questa è una ingiustizia, una dittatura! Io ti prego di perdonarmi, se puoi.»

E Gesù rispose: «In verità ti dico: oggi stesso sarai in Paradiso con me». E a quanto ne so io, mantenne la parola.

[1] Ramanzina.

Parla della passione e morte di Gesù

A Pasqua in punto risorge Gesù.

Prima di risorgere Egli soffrì molto, poverino.

All'ultima cena già c'era un po' di tradimento in giro ma nessuno lo diceva, nessuno avvisava a Gesù. Nell'orto degli ulivi Lui piangeva e i discepoli dormivano, quei fannulloni. Così nessuno si accorse che lo arrestavano e nessuno entrò in mezzo[1] per salvarlo. Giuda lo tradì per trenta denari, San Pietro per niente, solo per paura.

Ponzio Pilato maltrattò a Gesù senza pietà: gli tirava la barba, gli faceva certe domande spiritose, lo fece frustare a sangue, quel cantaro.[2] Poi gli misero una corona di spine e sfottendolo lo inchiodarono alla croce.

---

[1] Intervenne.
[2] Letteralmente, pitale. Qui vale schifoso, carogna.

Roma antica io per questo non la posso vedere, perché crocefisse Gesù. Se era a Napoli nessuno gli faceva niente e forse oggi lui c'era ancora. Quando Gesù fu completamente morto venne un grande terremoto e solo allora si accorsero che era figlio di Dio, quell'nguacchiati.[3] Dopo tre giorni di morte Gesù salì al cielo, perdonò tutta la città di Roma e ci mise sopra il Papa.

[3] Letteralmente è unti, sudici, ma qui sta per fetentoni, carogne.

Angeli e santi

Chi sono gli Angeli?

Gli Angeli sono esseri fatti di aria che abitano il Paradiso assieme a Gesù la Madonna e i Santi. Hanno due ali di cigno ai lati e un cerchio d'oro in testa. Essi sono le guardie giurate di Gesù, e stanno sempre all'inpiedi, senza sedersi o coricarsi mai. Il più anziano di loro suona una tromba gialla.

Gli Angeli attuali sono quelli che non si ribellarono a Dio. Ma uno di loro, Lucifero, quello ve lo raccomando! Appena creato disse a Dio: «Perché solo Lei deve essere Dio, e noi no? Non è giusto!». Poi prese quattro o cinque Angeli bisbetici come lui e insieme si ribellarono. Dio allora prese questo gruppo di indisponenti e li fece volare a testa in giù dentro l'Inferno. Poi accese un fuoco eterno e se ne andò. Da quel momento, a causa del fumo e della fuliggine, quegli Angeli da bianchi che erano diventarono neri, gli spuntarono due corna scure e le ali di cigno diventarono di pipistrello. Che schifo!

Gli Angeli buoni invece non si ribellano mai e a Natale si mettono in cerchio sopra a Gesù.

Chi è per te l'Angelo Custode?

L'Angelo Custode sono sicuro che non esiste, è una specie di cartone animato che hanno inventato i preti assieme ai nostri genitori che non ne possono più per farci stare buoni. Ma alle mie spalle io non ho nessuno, né angelo né diavolo, e penso che se si dicono queste bugie ai bambini poi da grandi diventano scemi come baccalà e anche 'nzallanuti[1] e li sfottono tutti in mezzo alla strada.

Io poi, se voglio, quando non sono incazzato so fare il bravo anche da solo.

Stupidi, tonti, svaniti.

Parla delle persecuzioni e dei primi martiri

Il giorno dopo la resurrezione di Gesù vennero le persecuzioni.

Le persecuzioni le inventò Nerone, l'imperatore più pazzo dei Romani, fu lui a bruciare Roma, perché ne voleva una più nuova e diede la colpa ai napoletani.

Egli odiava a morte tutti i cristiani perché erano più buoni di lui, che era un infelice e un incompetente, perché era nato malvagio contro la sua volontà.

Il primo martire fu Santo Stefano poi venne San Gennaro, San Pasquale e tanti altri.

I primi martiri furono mangiati dai leoni. I leoni erano sei o sette giorni che non mangiavano un martire ed erano affamati. I martiri sono morti per noi perciò li festeggiamo. Domenico Savio è il mio martire preferito, egli morì giovanissimo come me.

Se non veniva Gesù con i primi martiri, ora stavamo a combattere tutti quanti contro Saddam Ussein.

Qual è il santo che preferisci e perché? - 1

Oggi noi entriamo e usciamo dalle chiese che è una bellezza ma al tempo dei Romani chiese non se ne potevano costruire e se un Romano vedeva un architetto cristiano disegnare anche solo una sacrestia subito lo perseguitava.

I Romani perseguitarono i cristiani con grande diligenza, però prima aspettarono che morisse Gesù perché avevano paura dei suoi miracoli.

Le persecuzioni le inaugurò Tiberio mettendo i cristiani sulla brace e arrostendoli come maiali, poi vennero Caligola e Nerone. Caligola era pazzo e cretino, Nerone era solo pazzo, ma tutti e due arrestavano i cristiani.

Per paura di questi imperatori i cristiani si nascondevano nelle catacombe, che erano le chiese di allora dove si pregava, si confessava, si battezzava ma sottoterra e senza campanella. Se c'era la campanella che chiamava a raccolta arrivavano pure i persecutori!

All'inizio San Sebastiano era un Romano. Era un soldato bellissimo e fortissimo, con i capelli lisci e lunghi e un corpo slanciato. Egli era il prediletto di Diocleziano, un altro imperatore romano pazzo che odiava tutti i cristiani.

San Sebastiano un giorno si trasferì al cristianesimo e Diocleziano lo condannò all'istante. Lo legarono mani e piedi a una palma e lo frecciarono. Ma San Sebastiano sorrideva contento perché c'era Dio dalla sua parte.

Quando Diocleziano lo venne a sapere lo colpì subito con una sbarra di ferro in testa poi lo fece gettare in una fogna.

Quella notte il suo spirito apparve a una donna e le disse dove era stato gettato. La donna andò a prenderlo di corsa per lavarlo e asciugarlo. Infine lo seppellì in una catacomba cristiana alla faccia di Diocleziano.

Qual è il santo che preferisci e perché? - 2

Lo so che dovrei scrivere San Gennaro o Sant'Agrippino, perché sono nati a Napoli o ad Arzano. Ma pure io sono nato ad Arzano, e con questo? Rocco non è nato a Napoli e fa il tifo per l'Inter?

A me piace Sant'Antonio da Padova, va bene? Egli nacque a Lisbona col nome di Fernando, poi si trasferì a Padova e lo battezzarono Sant'Antonio. Fu un santo miracolosissimo e dopo Dio, Gesù, la Madonna, e lo Spirito Santo, viene subito lui.

Se a Padova ci stava il Vesuvio, pure Sant'Antonio lo poteva stutare,[1] che vi credete?

Sant'Antonio io lo preferisco perché aveva il dono dell'ubiguità, cioè poteva stare a Padova e ad Arzano nello stesso momento, oppure dar-

---

[1] Spegnere.

si appuntamento in un terzo posto. E soprattutto perché può fare tredici grazie al giorno, e gli altri santi solo una. Io non ne pretendo tante, però vorrei:

essere promosso,
fare tredici al totocalcio,
abitare a Padova,
far morire Umberto Bossi,
salvare Napoli dalla delinquenza,
comprarmi tutti i film di Totò,
comprare una Ferrari a mio padre,
far sposare mia sorella Rosetta,
far vincere lo scudetto al Napoli,
andare in Paradiso direttamente senza passare per la bara.

Qual è il santo che preferisci e perché - 3

La parola «battesimo» è una parola famosissi-ma, che si pronuncia «battesimo» in tutte le lingue del mondo, perché deriva da San Giovanni Battista.

Giovanni Battista lavorava nel deserto, battezzava i peccatori e li lavava con lo Spirito Santo. Era vestito di stracci e digiunava quaranta giorni al mese.

Egli battezzò un fiume «Giordano» e gridava tutto solo nel deserto ma nessuno lo sentiva; solo se tirava un po' di vento o c'era l'eco si capiva qualcosa, ma di rado. Così non sapremo mai perché gridava tanto.

Quando incontrò Gesù, Giovanni per poco non sveniva dall'emozione, ma Gesù lo guardò con i suoi occhi azzurri e lui riprese fiato.

Ma purtroppo a quel tempo c'era un Re cattivissimo che si chiamava Erode Antico. Erode

Antico fece arrestare Giovanni e lo buttò in prigione per far piacere alla moglie, che non si voleva battezzare. Poi arrivò una ballerina, Salomè, che danzò per lui e come regalia chiese la testa di Giovanni Battista. Erode prima non gliela voleva dare, per paura che se la sognava, poi l'accontentò.

La testa la misero in un piatto d'oro, il corpo lo lasciarono seduto in prigione.

San Gennaro è il Patrono di Napoli, cosa sai di questo famoso personaggio?

San Gennaro nacque a Napoli, nei pressi di Benevento. San Gennaro fin da giovane fu così educato coi genitori e tanto buono che alla fine lo nominarono santo.

Egli portava in testa un cappello.

San Gennaro non andava d'accordo con Nerone e Nerone quando incendiò Roma diede la colpa ai cristiani.

Il giorno dopo tagliarono la testa a San Gennaro e la posarono da una parte, il sangue lo gocciolarono in una ambollina per farlo baciare.

Il giorno di San Gennaro è a Napoli. Io ci vado con tutta la famiglia per vedere la festa e baciare il sangue del tesoro di San Gennaro.

Una volta però a mia madre le scipparono la borsa, o dentro la chiesa o fuori. E mio padre disse incazzato: «San Gennà, questo è il ringraziamento che ti siamo venuti a trovare?».

Parla di Maria Goretti

A me fa tanta pena Santa Maria Goretti. La sua triste vita fu tutta una tristezza. Maria Goretti era una bambina bella e buona, non strillava mai ed era timida, ma proprio timidissima. Una volta non era come oggi, che le ragazze la farfalla non si vergognano a farla vedere (e specialmente la Cuccarini), una volta era diverso.

Maria Goretti viveva in campagna e discendeva da una famiglia stentata ma non si lamentava mai, non diceva mai uffa come noialtre bambine di città. Un brutto giorno successe che un uomo, un giovane laziale, le saltò addosso per violentarla. Violentare significa far partorire per forza. E più Maria Goretti piangeva più quel capuzziello[1] la voleva violentare, ma non ci riuscì perché Maria Goretti si storzellava[2] tutta.

---

[1] Prepotente.
[2] Contorceva.

Forse fu violentata solo il necessario. Alla fine, visto che non ne usciva niente di buono, lui la pugnalò.

Maria Goretti fu portata all'ospedale di Nettuno ma, figuriamoci, là è morta pure mia zia. E infatti morì. Ma prima di morire perdonò allo zozzoso, che alla fine si pentì e si fece frate. Eh già, è comodo!

Parla di Bernadette Soubirous

Prima che Bernadette andasse nel bosco di Lourd con le amiche l'Immacolata Concezione non si era mai vista. Mentre raccoglievano la legna le ragazze chiacchieravano come 'nciucesse,[1] solo Bernadette taceva e a un certo momento se ne andò senza neanche salutare. Forse già sentiva dentro qualcosa di non comune, di strano.

Un forte vento dietro i rini[2] la spinse in una grotta dove a un tratto vide una bella signora molto per bene. Essa era alta, tutta vestita di bianco e celeste con un cerchio di stelle gialle in testa. Nella mano destra aveva un rosario, nella sinistra niente, stava solo appesa. La signora non disse che era la Madonna, anzi subito sparì.

Bernadette all'inizio non ci capiva niente per-

[1] Deriva da «'nciucio», cioè pettegolezzo.
[2] Le reni.

ché era figlia di un mugnaio, poi cominciò a sospettare. Quando lo raccontò ai genitori la sgridarono dicendo che voleva fare filone[3] con la scusa della Madonna. Ma lei andò ancora al boschetto e vide tante volte la signora.

Finalmente un giorno la signora le disse: «Costruisci una chiesa su questa roccia e scava con le tue mani questa terra. Uscirà dell'acqua miracolosa, l'acqua di Lourd. Allora fai venire qua tutti i malati del paese compreso il Sindaco: io sono l'Immacolata Concezione».

Bernadette corse in paese e lo raccontò a tutti ma nessuno ci credeva, dicevano che era una palla. Solo i malati ci andarono ed erano più di mille. I ciechi si misero l'acqua sugli occhi, i sordi nelle orecchie, i pazzi forse si lavarono la testa. E la Madonna salvava tutti, solo il Sindaco era duro e ancora non ci credeva e allora Dio fece diventare grandissimo il sole, e tutti scappavano e il sole pareva che inseguisse il Sindaco. In quel momento tutti guarirono e pure il Sindaco guarì anche se non aveva niente.

[3] Marinare la scuola.

Papa Giovanni XXIII sarà presto santo...

A mia nonna Papa Giovanni le sta molto simpatico, ma a noi in classe ci hanno letto solo un riassuntino ed è troppo poco per giudicare. Sarà stato pure bravissimo, se lo dice nonna che è così severa, ma per un Papa è molto facile farsi nominare santo, come per un capitano diventare generale, è il suo mestiere.

Io c'è tanta altra gente che farei santa. Per esempio Totò che fa tanto ridere e rende felici anche i bambini infelici. E poi dava le sue ricchezze ai poveri della Sanità[1] e gli ha fatto pure l'ospizio per i cani.

Poi ci sarebbe Maradona. Se Maradona non si drogava e non diceva figli di puttana ai Mondiali, se non metteva le corna alla moglie e si allenava tutti i giorni poteva diventare santo.

[1] Uno dei rioni più popolari di Napoli.

Perché ha fatto tanto per i poveri: ha fatto venti partite per senza niente,[2] ha firmato più di mille assegni a vuoto,[3] e soprattutto ha fatto felici gli andicappati della tribuna. Quando lui segnava gli andicappati muovevano le gambe sulle sedie a rotelle e per un momento gli pareva di correre sul prato. E questo è quasi un miracolo.

E non parliamo di Don Riboldi... Don Riboldi non è mai diventato papa perché lo sa che se va via Napoli non tiene più nessuno che la difende. Lui invece non ha paura neanche di Zazo e di Cutolo. Anzi un giorno andò persino in prigione per confessare a Cutolo e lo comunicò pure. Cutolo se voleva poteva strangolarlo, perché in carcere è padrone lui, invece gli baciò la mano e da quel momento diventò un po' meno malvagio. Don Riboldi io spero che muoia presto così lo fanno subito Santo.

[2] Gratis.
[3] Ovviamente, assegni in bianco.

Oggi vorrei parlare della Madonna

Quando io sono partito da Napoli la Madonna aveva la faccia bianca, arrivato a Loreto è diventata nera.

A Montevergine dicono che la Madonna più necessaria ce l'hanno loro, al Carmine che ce l'hanno loro, alla Madonna dell'Arco[1] che ce l'hanno loro, ognuno si fruscia[2] che la più importante ce l'ha lui.

Ma la Madonna originale io so com'è: essa è di colore bianco, ha il manto azzurro ed è madre di Gesù, tutte le altre sono fasulle.

La Madonna era sposata con San Giuseppe che era nato il 19 marzo, festa del papà e infatti divenne il padre di Gesù.

[1] Si tratta di tre famosi santuari meridionali.
[2] Si vanta.

In questi giorni c'è una cantante che si chiama Madonna, e non si vergogna a tenere il nome della vera Madonna! Io se fossi la Santa Vergine, a lei non gli sarei madre come a tutti gli altri, a lei gli sarei matrigna, come a Cenerentola.

Sacramenti e feste cristiane

Parla del Santo Battesimo

Oggi tutti i genitori credono che per salvare un bambino e farlo andare in Paradiso basta che lo battezzano.

Ma per me, se lo posso dire, il Battesimo non serve a niente, serve soltanto a dare il nome a un bambino.

Per esempio, Hitler mica perché l'hanno battezzato va in Paradiso. Lui se moriva dentro la pancia della mamma già andava all'Inferno, perché Dio che vede nel futuro già lo sapeva tutto il male che faceva.

Oppure il ladrone sulla croce, a lui Gesù lo ha mandato in Paradiso anche se non era battezzato.

Io però ai miei figli li battezzo lo stesso, perché non si sa mai.

Parla del sacramento della Confessione e dell'Eucarestia

Le donne hanno sicuramente più peccati degli uomini, se no perché si vanno a confessarsi dietro ai buchi? È per non farsi riconoscere i peccati.

La confessione ci lava i peccati mortali e veniali e ci rende puri come gli angeli: se moriamo un minuto dopo la confessione andiamo dritti in paradiso, se moriamo mentre ci confessiamo andiamo in purgatorio.

Dante Alighieri è l'unico ché andato da tutte tre le parti senza confessarsi.

Nell'ostia c'è Dio che si fa piccolo piccolo per entrare e se spezziamo l'ostia esce il sangue di san Gennaro.

Io certe volte non dico tutti i peccati a don Cirino, però in compenso vado tutti i giorni a scuola anche se piove.

Hai già fatto la Prima Comunione? Parla di questo bellissimo sacramento

Io già l'ho fatta la prima comunione ma se devo essere sincero mi è piaciuto solo il momento di mezzo, né prima né dopo, soltanto la comunione.

Prima della comunione ci sono i precetti, il catechismo, le prove in chiesa: un po' troppo per un bambino! La signorina dell'associazione cattolica che ce li insegna è corta e antipatica, per questo nessuno l'ha mai violentata. Una volta mi ha fatto pure piangere.

Padre Giacinto è buono con noi ma il sagrestano no. Perché lui suona le campane si crede che fosse Andreotti e gli vorrei dire: «'On Luì, vui nun sit nisciun, 'o sapìt?».[1]

Per me l'attimo più bello è stato la comunione quando Gesù è venuto nel mio cuore: in quel momento volevo bene a tutti (escluso a don Luigi).

---

[1] «Don Luigi, voi non siete nessuno, lo sapete?» (La forma corretta è: «'On Luì, vuie non site nisciuno, 'o sapìte?»)

Parla del sacramento del Matrimonio

Il Matrimonio è un sacramento importantissimo perché dimostra che l'uomo è molto più serio degli animali. Infatti gli animali mangiano bevono e dormono, ma non si sposano mai. La loro è una famiglia per modo di dire, restano sempre dei noncuranti. Per esempio un leone appena nasce già si alza e se ne va nel bosco per i fatti suoi e nessuno della famiglia lo ferma o lo sgrida. Un bambino umano, invece, prima di camminare ha bisogno della mamma e del papà che lo aiutano, se no resta sempre sdraiato. Per questo Gesù ha inventato il matrimonio.

Certi uomini si innamorano di altri uomini anche se non se li possono sposare. Essi si chiamano «ovosessuali». Molti giovani si sposano immediatamente perché vogliono fare i figli. Se ne fanno uno o due sono felici, se ne fanno cinque o sei si bisticciano a chi è stato.

Se in una famiglia non si litiga mai anche il figlio vuole sposarsi presto, se si litiga tutti i giorni, quando mai? Mio padre l'hanno costretto a fare il compariello al matrimonio di Lucia; per comprare due anelli d'oro s'è dovuto tirare una mola.[1]

Io ho tutte le buone intenzioni di sposarmi presto, solo non vorrei farlo sapere alla gente del vico.

[1] Cioè «ha dovuto farsi cavare un molare». Si intende: ha fatto un grosso sacrificio.

Parla della Santa Messa

Alla domenica mio padre mi porta alla messa, e se ci sono le signorine che cantano Osanna mi sembrano mille anni che me ne esco. Quelle strillano continuamente Osanna, Osanna e nessuno le riesce a fermare, neanche un maresciallo.

Il prete delle dieci e mezzo dice delle parole enormi, importantissime, ma chi le capisce mai quelle parole?

La messa ce l'ha lasciata Gesù in suo ricordo e quando entriamo in chiesa entriamo nella sua casa e bisogna avere rispetto. A Pompei invece ancora un po' e anche le bancarelle entrano dentro la chiesa.

Le cose belle della messa sono:
- che ci sono tutte le luci accese,
- che ci sono tutti i fiori profumati,
- che se uno se ne va alla messa tutte le domeniche finisce in Paradiso.

Le cose brutte della messa sono:
- che bisogna stare troppo tempo in ginoc-
  chio,
- che a Pasqua è troppo lunga,
- che bisogna scambiarsi il segno della pace
  con il vicino che magari ti sta antipatico,
- che se non metti mille lire nel cestino la
  signorina Rosetta ti guarda storto.

Si avvicina il Santo Natale... - 1

Quando si avvicina il Santo Natale già si può cominciare a venire a scuola un giorno sì e un giorno no. Le maestre fanno la sfida a chi fa il presepe o l'albero più bello. Ma dentro la classe, però, perché se lo fanno nel corridoio si fottono subito tutte le palle.

Io l'anno passato ho portato un filo d'oro giallo e non l'ho più trovato e so pure chi è stato, eh Pasquà?

Quando si avvicina il Santo Natale il nostro cuore è più buono, dobbiamo aiutare a chi sta peggio di noi: gli anziani, i bambini poveri, e i disgraziati che vivono dentro i bidoni.

Ma ci pensate, che i Vù Cumprà sono costretti a vendere le stelline di Natale quando loro credono a Maometto?

Si avvicina il Santo Natale... - 2

A Chiaiano non è come Niu Iorch, che quando viene Natale tutta la città la illuminano, a Chiaiano già è assai se accendono qualche lampadina. Mi ricordo l'anno passato che ce n'era una verde che si appicciava e si stutava,[1] si appicciava e si stutava, ma non perché era indermittente, perché si stava per fulminare.

Un albero di Natale piccolino lo vendono centomila lire. Ma che è, oro? A Natale invece di farci risparmiare un poco i negozianti fanno i piricchiusi[2] e alzano i prezzi. Se vai a Napoli non ti fanno neanche entrare tanto dalla folla che c'è. L'Upim compra le palle della Standa e le vende al doppio, la mariola!

Sotto la Befana non ne parliamo. Un povero

[1] Si accendeva e si spegneva.
[2] Pidocchiosi, taccagni.

padre di Chiaiano che va a Napoli per la Befana, lo vedono che è di Chiaiano e lo fanno fesso. E gli vendono il capitone che è già morto.

A Natale per me la cosa più onesta è che non si va a scuola.

Si avvicina il Santo Natale... - 3

Quando viene Natale invece di pensare che è nato Gesù, il resto del mondo si mette a pensare a quello che deve mangiare, a quello che deve bere e a quello che deve sparare. A casa di una famiglia vicino a noi che si chiamava la famiglia Esposito, al figlio lo mandano solo solo a scuola, che ha soltanto sei anni, per non spendere i soldi del pulmino, poi loro quando vengono le Feste spendono duecento o quattrocentomila lire per i bengali, le multiple e le scintille.

E io credo che a Natale non si fanno neanche il segno della croce a tavola.

Io parlo di loro, ma anche la mia famiglia... A me non mi hanno voluto comprare l'Enciclopedia e mi hanno pure gridato perché avevo spedito la cartolina di ordine, però poi alla vigilia e a Natale la credenza scoppia di scatole della Coop.

Qual è la festa cristiana che preferisci?

La festa cristiana che preferisco è la Pasqua. Pasqua ci ricorda la scalata al cielo di Gesù. Gesù era sepolto in una grotta (ma non quella dove era nato, una molto distante) e due o tre soldati romani gli facevano la guardia. A un certo punto la pietra si muove e appare Gesù, risorto tutto d'un pezzo.

Le guardie non appena lo videro ebbero due infarti.

A Pasqua ci sta tanta folla alla confessione di Padre Gerardo che mi sembra la cassa del Mini Market California.

Una volta una vecchia parlava forte e io ho sentito due peccati veniali, ma non li ho detti a nessuno.

A Pasqua mio padre finalmente sta con noi e a tavola ci benedice con la palma, e io pure benedico un genitore o l'altro e mio fratello.

L'acqua santa la teniamo dall'anno scorso, sta dentro la Madonnina di Lurd.

La letterina di Pasqua la dico a voce oppure la canto. A tavola mangiamo la fellata,[1] spaghetti olive e capperi, la gallina, il tortano[2] e la pastiera.[3] La pastiera per me è *tutto*. Ce la fa zia Maria, per questo l'invitiamo.

Pasqua ci dice che esiste un'altra vita dopo questa qui.

Io quando penso che risorgo, la morte mi fa un baffo!

[1] L'affettato.
[2] Pane a forma di ciambella, ripieno di provolone salame uova sode parmigiano e ciccioli.
[3] Tipico dolce pasquale.

Intermezzo laico

Parla della condizione della donna

Le donne, poverelle, non sono state mai considerate.

Al tempo degli Egiziani le donne o facevano le sacerdotesse o le modelle per le Piramidi. Il pittore di una piramide le faceva entrare e le metteva di profilo, con i piedi di profilo e le mani alzate di profilo. Poi quando aveva finito se ne andava e magari le lasciava sempre ferme di profilo.

Diventate romane, le donne pettinavano le madri oppure preparavano da mangiare. Se veniva un ricco principe in casa e si sdraiava sul lettino, dovevano ballare e fare la spaccata. Ai tempi medioevali portavano un lungo cappello in testa a forma di coppetto,[1] e una cintura di castità a chiave. Se si apriva quella chiave le

---

[1] Cartoccio conico, ad esempio per avvolgere le caldarroste.

donne medioevali erano uguali a quelle attuali.

Nel Mille e Ottocento le donne suonavano solo il violino, nel Mille e Novecento aspettavano l'uomo che ritornava dalla guerra. Se passavano due o tre mesi e ancora non tornava non aspettavano più e se ne prendevano a un altro.

Le donne moderne anche se sono moderne, lo stesso non contano niente. Per esempio: perché in questa classe ci sono venti maschi e solo due bambine? Allora si dovrebbe chiamare SCUOLO, non SCUOLA!

C'è tanta ingiustizia nel mondo, perché secondo te Dio permette questo?

In India ci sono molte mucche. Ma non le ammazzano, perché loro dicono che sono sacre, e intanto i bambini indiani muoiono di fame. Se io sarei il proprietario di una mucca indiana la porterei subito a macellare e i pezzi ricavati li darei ai bambini affamati di nascosto dai sommi sacerdoti.

Busc fa il guappo perché ha molti dollari e fa la guerra con l'Irach con la scusa che lui vuole aiutare al Cuait ma non ha pietà dei negri ed è tutta una balla. In Italia quando fai il soldato ti mandano in Sardegna per punirti di essere nato a Napoli.

Ogni giorno ne muoiono un milione nel terzo mondo, per via che hanno fame. Il terzo mondo ha la pancia piena di aria e di gas, e il primo e il secondo mondo hanno la pancia piena di vermicelli, carne, polpette, frittura e soffritto.

Se scoppia la terza guerra mondiale scoppia perché è il terzo mondo che la fa scoppiare, per questo si chiama terza. E fa proprio bene! Io se scoppia combatto coi terzi.

Parla di Romolo e Remo

Prima che Romolo e Remo nascessero, di Roma non ce n'era neanche un po'. C'era solo la campagna, il Tevere e della gente che non c'entrava.

Improvvisamente una certa Rea Silvia fa un figlio. Lo fa con suo zio Marte, di nascosto da tutti. All'inizio era solo uno e lo chiamarono Romolo, ma poi dalla pancia ne uscì un altro e lo chiamarono Remo. Ma Rea Silvia era una sacerdotessa e non poteva partorire figli, soprattutto in coppia. Così un servo di notte prese a Romolo e Remo e li mise in una cesta sul fiume Tevere, forse perché aveva sentito di Mosè.

Il cestino si fermò in una spiaggia e una lupa che abitava da quelle parti e forse non poteva avere figli adottò Romolo e Remo e li allattò. Forse Romolo e Remo all'inizio somigliavano un po' all'Uomo Lupo.

Quando i due gemelli divennero grandi decisero di farsi ognuno i fatti suoi. Romolo con un gesso segnò una linea a terra e nessuno la doveva oltrepassare, neanche Remo. Ma Remo per dispetto ci mise tutto un piede e Romolo si arrabbiò moltissimo e lo uccise.

Da quel momento fu l'unico gemello d'Italia. Allora cancellò la striscia e al suo posto fece una città e le diede il suo nome, ma un po' cambiato, perché tutte le città sono femmine.

Poi chiamò i contadini di quelle parti e gli diceva se volevano diventare romani, e quelli dicevano di sì. Però erano tutti maschi e ci volevano pure le donne perché senza donne non si potevano fare romani. Così attaccarono i loro vicini e si presero tutte le Sabrine.

Le presero di notte perché è di notte che si fanno i figli. Le Sabrine fabbricarono subito tanti romani e da allora ce ne sono sempre di nuovi.

Quando Roma fu sconfitta dai Barbari, anche i laziali ci rimasero male.

Problemi teologici e morali

Chi è Dio? E il diavolo? - 1

Dio è un crocefisso che ha creato i mucilli,[1] i caciuttielli,[2] gli scogliattoli, e mettiamoci pure la scuola. Lui è un nobile, un gigante che non dà confidenza a nessuno. Egli è dentro l'ostia di padre Vincenzo.

Il diavolo è una persona che vuole il male a tutti i costi e non è come Dio, ma molto più cattivo.

Il diavolo è uno nguacchiato[3] che il suoccio[4] non c'è, ecco chi è.

---

[1] Gattini.
[2] Cuccioli.
[3] Letteralmente è unto, sudicio, ma qui sta per fetentone, carogna.
[4] Il simile.

Chi è Dio? E il diavolo? - 2

Dio è il direttore del creato e ha fatto il mondo il mare le stelle i fiori sopra la terra, egli vive in cielo come un gran signore e non ha mai avuto una malattia.

Egli è il Padre Eterno di tutti gli uomini e aiuta anche a chi non ne ha bisogno.

Il diavolo è un maleducato, un munnezzaro,[1] egli non ha mai prodotto niente di buono e finora ha deluso tutti. Egli sa dire solo parolacce, e lunghe.

Il diavolo porta un vestito rosso e giallo, è proprietario di due corne rosse, e la sua coda finisce come le frecce degli indiani.

Puozz passà 'nu uaio![2]

---

[1] Spazzino. Ma qui significa sporcaccione.
[2] «Che tu possa passare un guaio!» (La forma corretta è «Puozzo passà 'nu guaio!»)

Chi è Dio? E il diavolo? - 3

Dio è uno che ha fatto i miracoli per diventare famoso.

Lui è la prima persona dei dieci comandamenti, e porta sulle spalle tutti i mali del mondo. E il diavolo apposta[1] di aiutarlo ce ne mette sempre di nuovi. Povero Dio!

I diavoli sono una mappata di samenti[2] che vogliono per forza farci soffrire, sono essi guidati da Satana che fanno scoppiare la guerra, la morte, il nord contro il sud, le leghe.

Ma insomma a lui chi glielo fa fare?

---

[1] Invece.
[2] Un'accolta di esseri spregevoli.

Come immagini il Paradiso e l'Inferno?

Il Paradiso me l'immagino come una nuvola azzurra grandissima con Gesù e la Madonna sopra, le rose rosse che sbocciano e gli angeli che volano e cantano. Ed ecco che appare Dio e tutti diventano buoni per forza.

L'Inferno è una buca nera piena di fuoco e di insetti, ragni, serpenti, topi e pipistrelli. Il diavolo abita nel fondo e ringhia.

Non c'è neanche un bambino, in compenso ci sono tutti i delinquenti della zona, gli assassini, gli spacciatori, gli avari e il mio padrone di casa. Ci sta pure Hitler, Calicola, il Faraone d'Egitto (Garibaldi no perché era buono) e le signorine di Colpo Grosso. E piangono tutti quanti dalla mattina alla sera.

Come immagini l'Inferno e il Purgatorio?

L'Inferno me lo immagino come un posto dove si parla soltanto il dialetto.

Il Purgatorio me lo immagino come un posto molto noioso, dove si fanno molti nciuci[1] sull'Inferno.

Al Purgatorio e all'Inferno preferisco il Paradiso.

[1] Pettegolezzi.

«*Dar da mangiare agli affamati.*» *Ti sembra che oggi questo precetto sia rispettato? - 1*

In Africa e in India ci sono molti più morti che nativi, a causa della fame nel mondo.

In Africa e in India passeggiano per le strade uno più povero di un altro, eppure se vedono passare una mucca invece di mangiarsela si fanno la croce, perché credono che è Dio. E così stringono la cinghia ma nessuno gli dà mai niente.

A Arzano abbiamo più cuore di tutti e pure se stiamo a panza vacante[1] quando vengono le signorine fuori a la porta ci diamo più soldi per i poveri noi che l'America e la Russia messe insieme.

Invece di preparare le guerre stellari, perché non aiutano ai popoli che si muoiono di fame, quei bizzoghi?[2]

[1] Vuota.
[2] Bigotti. Ma qui è un insulto generico.

«Dar da mangiare agli affamati.»
Ti sembra che oggi questo precetto
sia rispettato? - 2

La dottoressa Tirone[1] se ne viene con la cura dimagrante, mentre in Africa si puzzano dalla santissima fame[2], chella scurnacchiata![3]

[1] Nota dietologa napoletana.
[2] Muoiono di fame.
[3] «Scornata», ma qui vale «svergognata» e ancora peggio...

Perché non bisogna maltrattare gli animali?

Una volta vicino a me due malamenti arravugliarono[1] le code di due bastardini e quei poverelli non si potevano sgravugliare[2] più. C'è gente che i cani randagi li sequestrano per fare esperimenti, i leoni li drogano per fargli fare i buffoni nel circo.

Nello zoo di Napoli ci stanno due leoni tutti pelle e ossi e tre scimmie, una sputò in faccia a mio zio. Era una scimmia molto grande con la uallera[3] rossa.

Per me non è giusto trattare gli animali come bestie, mettere gli uccelli in gabbia, battere gli asini e voltare le tartarughe a sotto sopra. Perché a me piacciono tutti gli animali del mondo. Solo gli scarrafoni no, quelli mi fanno schifo proprio alla vista.

[1] Attorcigliarono.
[2] Sciogliere.
[3] Ernia. (La forma corretta è «guàllera».)

Tutti un giorno dovremo lasciare questa terra...

Mio nonno è morto seduto in mezzo al letto: aveva il pigiama e settantacinque anni, quando è morto.

Non so se andrà in Paradiso o all'Inferno, io credo in Paradiso, perché già ha fatto la guerra, già è nato a Napoli e già lavorava con mio zio.

L'unico peccato di mio nonno è che sputava sempre per la strada e non poteva tanto allegge-rire[1] gli africani.

Mia zia, che è una chiagnazzara,[2] dice che la morte è la ricompensa di una vita piena di dolori, ma noi che siamo tutti un po' cacasotto ci fa paura lo stesso.

Si può morire di subbito oppure un poco alla volta, io speriamo un poco alla volta, così mi abituo.

---

[1] Sopportare.
[2] Una che piange e si lamenta sempre. Il vocabolo deriva da «chiagnere», piangere.

Se ti fosse concesso di parlare al Papa, cosa gli chiederesti?

Io una volta che andai a Roma con mio padre, andai vicinissimo al Papa. Arrivai fino alle guardie svizzere e lì mi dovetti fermare.

Le guardie svizzere non capivo se erano vere o finte, tanto stavano ferme, e il loro vestito mi sembrava un pigiama di Re.

Le guardie svizzere sorridono pure.

Dietro le guardie svizzere abita il Papa. Il Papa è il direttore della Chiesa e viene subito dopo Dio, i santi e gli angeli. Il Papa moderno si chiama Papa Giovanni Paolo Secondo e prima di fare il Papa a Roma era polacco.

Io se potessi parlargli gli direi tutto il mio pensiero e cioè:

– perché non si fa intervistare mai se Gesù parlava con tutti,
– perché se San Francesco fu poverissimo lui è ricchissimo,

– perché si affaccia sempre dallo stesso bal-
   cone,
– se è tifoso dell'Italia o della Polonia.
Vorrei pure sapere a lui chi lo confessa.

Che cos'è l'anima?

L'anima non si può dire cos'è perché non si vede. L'anima è quello che ognuno crede che è. Per esempio gli antichi Egiziani credevano che l'anima aveva la testa umana e il corpo di uccello. Essa usciva dalla bocca del vivo al momento in cui si trasformava in morto. Era invisibile e nessuno la poteva catturare o fotografare. Ma allora come facevano a sapere che aveva le penne?

Gli antichi Greci invece credevano nella rincarnazione: questo significa che l'anima di un morto va a mettersi nel corpo di un vivo al momento che nasce. Ma se quel vivo l'anima sua già ce l'ha che fanno? Due anime in un corpo? Ma che stupidaggini questi Greci!

Mio zio non crede a nessuna anima, forse perché l'hanno battezzato in ritardo. Un giorno però che due testimoni di Geova lo hanno incontrato per strada e gli hanno domandato: «Ma Cristo cosa ha fatto per lei?», lui gli ha risposto furioso nero: «Questi sono cazzi miei e nun me rumpite cchiù l'anema!».

Parla dell'importanza della preghiera - 1

Il diavolo è il Padre dell'eroina.

Egli è un serpente rosso uscito difettoso, è furbissimo e non guarda in faccia a nessuno quando deve tentare. Ha tentato finanche a Gesù nel deserto. L'unica cosa che non capisco è perché Gesù non gli ha dato subito un calcio in culo e non l'ha buttato giù dalla montagna.

Il diavolo non ha mai finito di tentare gli uomini. Tutti i mali della mia città sono per colpa del diavolo. Se la mia città andrebbe a pregare tutte la mattine nella chiesa, non staremmo così inguaiati.

Quando la mafia vanno a uccidere qualcuno, prima di uscire fanno le preghiere a Satana.

Parla dell'importanza della preghiera - 2

Io tutte le sere prima di andare a dormire nel letto a castello mi recito l'Atto di dolore.

Mio Dio mi pento e mi tolgo con tutto il core dei miei peccati perché pregando ho meritato il tuo castigo e molto più offeso voi infinitamente buono e degno di essere amato sopra ogni cosa, propongo con il tuo santo aiuto di non offenderti più di fuggire locasioni prossime di peccato, Signore, di' tu, misericordia.

Come aiutare il mondo?

Per aiutare il mondo io ho moltissime idee, basta che il Signore mi sente.

Per prima cosa penserei a Napoli che siamo stufi di come è conciata, specialmente Chiaiano dove abito io. Direi al Signore: «Per favore guarda un po' come stiamo combinati mettici una mano tu». Poi gli direi, sempre al Signore, di cacciar via tutti i camorristi, specialmente quelli che uccidono o entrano la notte dentro le case con la bomboletta di sprai, spruzzano e ci finiscono di addormentare. Come è capitato a mio cugino che si sono presi tutto dalla cristalliera e meno male che il grosso dei soldi lo teneva nascosto dove sappiamo noi. E vorrei pure chiedere che non ci stesse più quel traffico da pazzi specialmente il sabato e la domenica.

Per la mia scuola vorrei un campo da gioco e una palestra, e più educazione. E vorrei fare una colletta per i bambini poveri del mondo ma i soldi non li darei a Cossiga e neppure al Papa che li dà sicuramente alla Polonia, li darei al parroco di Chiaiano che aiuterebbe sicuramente ai poveri nostrani.

Traccia un breve profilo delle religioni dell'antichità

Un milione di anni fa nessuno ci credeva che Gesù era il Figlio di Dio, credevano al fuoco, al vento, alla pioggia, a tutti gli spettacoli preistorici. Con il passare del tempo i popoli più intelligenti entrano a far parte delle prime civiltà e gli altri stavano a guardare.

Il primo popolo fu gli Egiziani. Gli Egiziani adoravano molti animali: il gatto, il topo, il cane, il croccodillo, ecc. Essi imbottivano i morti di segatura, li fasciavano stretti e li chiamavano «mummie».

Ma la mummia quando incontrava i loro Dei, come faceva a rispondere alle domande se aveva tutta la lingua fasciata? Faceva sì e no con la testa?

Gli antichi Romani non erano intelligenti come adesso. Adesso credono al Dio italiano ma una volta credevano a quelli dei Greci, che avevano un Dio per tutti, ma proprio per tutti. Come Bacco per gli ubriachi, Mercurio per i ladri e Venere per le zoccole ecc., che poi più tardi diventarono pianeti.

Noi quando vediamo un mussulmano non dobbiamo subito ridere. Perché l'unico che è veramente esistito è stato Maometto. Se Maometto non nasceva così in ritardo, adesso era lui il nostro Dio. Egli ha detto molte cose giuste come volersi bene a vicenda e seguire tutti i funerali che si incontrano. Il suo unico difetto era che se la pensava[1] un po' troppo e si dipingeva i suoi capelli e gli occhi come una ragazza.

Ma solo il nostro Dio è originale. Infatti egli è nato prima di tutti gli altri!

---

[1] Si dava un po' troppa importanza.

Che cosa sai del buddismo, dell'islamismo e del confucianesimo?

Incominciamo dal buddismo che è proprio il più sciocco.

Il buddismo rappresenta un Budda con una pancia peggio di Paolo Villaggio e loro invece di capire che Dio non può avere un pancione così ci credono e lo pregano pure.

I religiosi del buddismo hanno tutti la testa rapata, che a Napoli gli diciamo «carusiello» e si chiamano bonzi, che però non è quella brutta parola là.

Per colpa del buddismo in India non si mangiano le vacche, che per loro sono i nostri santi, e i bambini per colpa di questi santi sono tutti sicchi sicchi.[1]

L'unica cosa buona dell'India è che sono tutti

[1] Magri magri.

poveri così perlomeno non hanno il raket come da noi.

Maometto poi ne è un altro! Per causa sua scoppiano sempre le guerre nel golfo, hanno fatto pure le crociate contro di noi! Le donne non guardano in faccia a nessuno per via dei veli, essi dicono che sono impure, insomma sono il contrario delle vacche indiane.

Per ogni cristiano ucciso un maomettano va in paradiso. Per colpa loro o prima o poi scoppierà la guerra mondiale. Si sparano pure le pose perché hanno il petrolio, quei buzzurri!

L'unico che si salva dopo di noi, è logico, è il confucianesimo. Il superiore del confucianesimo era Confusio. Confusio diceva delle frasi bellissime che abbiamo scritto sul quaderno. Per esempio: «Se c'è rimedio, perché ti arrabbi? Se non c'è rimedio, perché ti arrabbi?».

Peccato solo che Confusio era troppo cinese.

La bestemmia è una colpa gravissima.
Se ti capitasse di udirne qualcuna, come
ti comporteresti?

Tanto per cominciare nel mio vico bestemmiano tutti quanti. Bestemmiano pure in questa classe e non ne parliamo nella IV B! Nel bigliardo bestemmiano come i turchi per colpa dei punti. 'On Mario caccia il pesce da fuori.[1]

Io non ho mai bestemmiato in vita mia, solo qualche parolaccia. 'On Mario perché è cacaglio[2] non bestemmia, ma se non sarebbe cacaglio hai voglia quanto bestemmiasse!

Lui è pure rattuso[3] e quando passa Luisella arrizza.[4]

Io a quelli che bestemmiano li alluccherei[5] pure, ma ho paura che mi battono.

---

[1] Mostra le vergogne.
[2] Balbuziente.
[3] Pomicione.
[4] Si eccita sessualmente.
[5] Sgriderei.

Che cos'è per te lo scandalo?

Scandalo significa fare i disgusti in carne e ossa oppure per televisione davanti ai bambini.

Io uno scandalo in carne e ossa non l'ho mai visto, ma li vedo spesso in televisione. Per esempio Striscia la Notizia dove c'è quell'infermiera con tutte le mappate[1] fuori di sopra e di sotto. E quelle cose rotonde sono proprio uno scandalo. A Crem Caramel poi la donna bionica è un femminiello[2] e a Colpo Grosso poi non ne parliamo: si vede tutta ma proprio tutta la situazione.

Io quelle trasmissioni non le guardo mai, lo giuro, però quando si volta con il telecomando qualche schifezza si pesca sempre.

---

[1] Letteralmente fagotti. Qui sta per protuberanze.
[2] Invertito.

Parla della figura del sacerdote
(Pensieri sparsi)

Io per me penso che fare il sacerdote è la migliore cosa di questo mondo. Mangi, bevi, dormi, non comperi vestiti, non tieni la moglie sulle spalle, i figli, i parenti, non paghi il pesone[1] e alla fine vai pure in Paradiso.

Un sacerdote io lo conoscevo. Prima era onesto, diceva la messa tutti i giorni, faceva la comunione, poi un bel giorno si fidanzò e tutti quanti dissero che delusione!

I sacerdoti sono maschi strani.

I sacerdoti incominciano così, poi fanno carriera, e alla fine diventano Papi.

Prima di morire io mi faccio sacerdote, così mi salvo l'anima.

[1] L'affitto di casa.

«Dio ci ha creato gratis»
a cura di Marcello D'Orta
Collezione Ingrandimenti

Arnoldo Mondadori Editore

Finito di stampare nel mese di maggio 1992
presso la Arnoldo Mondadori Editore S.p.A.
Stabilimento N.S.M. di Cles (TN)

Stampato in Italia - Printed in Italy